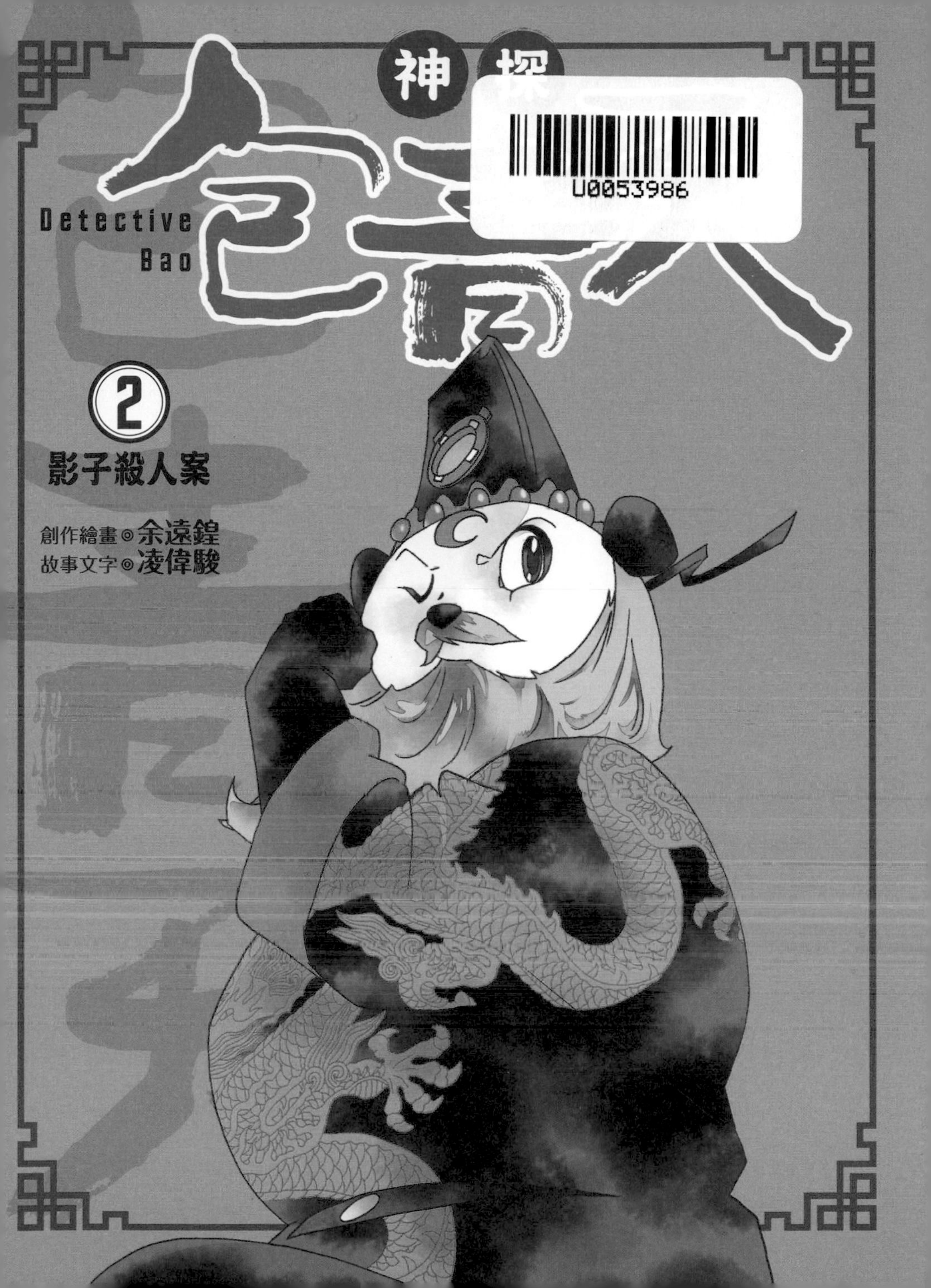
神探
包青天
Detective
Bao
2
影子殺人案
創作繪畫◎余遠鍠
故事文字◎凌偉駿

人物介紹

包青天

包拯，以清廉公正聞名於世，被後世稱譽為「包青天」。中國民間信仰傳其為文曲星轉世。善於觀察，長於判案，充滿威嚴，有著過人的計謀和查案能力。

青青姑娘

包拯之女。歌藝出色，心思細密，善解人意。為開封四大捕快所喜，然而她的芳心卻是屬意展昭。

公孫策

包青天的師爺，最信任的助手。尖酸刻薄，愛取笑嘲諷四大捕快。其實內心善良，恨鐵不成鋼。

展昭

大宋最強捕快，御前四品帶刀
衛，全國唯一一個擁有五星護
的捕快。赤膽忠肝，深得包大
器重，更被皇上御賜「御貓」
名。本來性格豁達開朗，和藹
親，可惜經歷一次生關死劫
後，性情大變，變得沉默寡言
我行我素……

人物介紹

趙虎

開封四大捕快之一。身材魁梧，聲如洪鐘，力大無窮，擅長各門各派的功夫。性格衝動莽撞，非常重情義。

馬漢

開封四大捕快之一。身藏非凡的輕功，身手敏捷，靜若處子，動若脫兔，善於追捕犯人。

王朝

開封四大捕快之首。有著非常厲害的易容技術，經常憑此潛入敵陣，索取重要情報和破案。性格平易近人，充滿正義感。做事冷靜，傾向用計謀解決問題，不會隨便硬碰。

張龍

開封四大捕快之一。出水能游，入水能跳，善於水性，有一身好水功，在水中游移如靈蛇閃現，水戰中幾乎必能捉住敵人。個性自信，喜我行我素。

目錄

序章・漁火村劫案

開封府城中心不遠處，有幾條小小的村落，其中一條叫**漁火村**。

村內其中一間房子裡，一片凌亂，本來掛在牆上的魚乾竟然散落四周。本來，一間房子擺設混亂，雜物倒在一地，也不是甚麼**稀奇之事**。可是，這房子不是普通人的房子，而是漁火村村長的房子。村長出名做事有條理，絕對不會無故把家裡的東西亂放。

突然，寧靜的房子裡竟突然出現急促而輕巧的腳步聲！

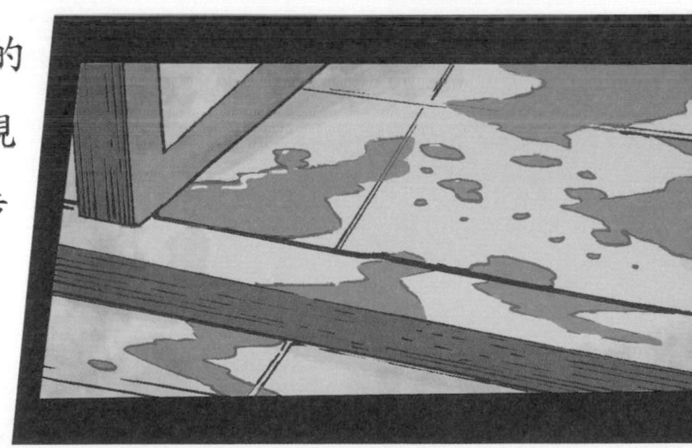

循聲音看去，只見一個黑影從窗子閃過！黑影離開後，月光徐徐映入村長的房子，在月光反射下，竟然出現了一個**嚇破膽子**的景象！

村長居然已經躺在血泊之中！

到底，發生了甚麼事？

大街上，一片平靜，漁火村的村民，似乎仍未發覺，一件駭人聽聞的事已發生！

相傳漁火村的村民以前都是漁民，經歷戰亂後遷居到開封。雖然村民們不再捕魚，但是漁民間守望相助，義氣行先的傳統還是保留下來。一旦村民有事，其他村民必是義不容辭出手相助，因為這種團結的精神，漁火村儼如一個小堡壘。為了漁火村的治安，村民更會自發輪流守夜。

而這一天，輪班當更夫守夜的人，就是來福。

與其他漁民一樣，來福一日三餐，吃得最多的還是魚。漁民靠海吃海，蒸魚、煎魚、魚湯、炸魚餅……凡魚皆成美食。不知是否吃得魚眼多，以形補形，來福竟養成一雙**巧目**，幾乎是過目不忘，要不是他討厭讀書，漁火村可能早就出了一個狀元。

「小心祝融，提防火種，小心財物，慎防打劫……」

來福敲著銅鑼，**心不在焉**地喊著，同時心想：「自發守夜，說就好聽，其實還不是村中長老逼我們這些年輕人去做……唉……輪流打更真是**浪費時間**，如果非要打更，我早就倒頭大睡了……」來福不滿地慨嘆。

「其實已經這麼夜，即使我偷懶，也不會有人知道吧？但是，如果讓村長知道我提早回家，也是挨罵，到底如何才能……」不想打更，早想回家睡覺的來福正苦思**偷懶的方法**……

突然，來福看到不遠處有幾個竹籠！

忽發奇想的來福，竟然用一個大竹籠蓋著自己，然後躲在其中偷懶睡覺。來福夢到本來樣子醜陋的自己，竟變成了一個**大帥哥**，身邊突然有幾位美女陪著自己，向自己餵食，過著**皇帝**般的享受生活……

但是，好夢不常……

突然，一股強烈的衝力撞向了來福！

「**哎呀！好痛啊！**」來福應聲倒在地上。好夢正酣的來福，跌出竹籠，半醒的他心生憤怒：「豈有此理！把本大爺的好夢撞破，不把你打一頓我就不叫來福！」

正想找人發泄的來福抬頭一看，登時發呆，因為他發現撞倒自己的，竟是熟悉的面孔！

然而，這個**熟悉的面孔**與來福對望一眼後，居然抱歉也沒說半句，就立即掩上臉罩，馬上起身就逃！

正當來福打算追罵這個熟悉的面孔之際，身後竟然傳來一陣凌亂的腳步聲和洪洪的火光：「喂！福仔！你還坐在這裡幹甚麼？」漁火村的壯丁們拿著火把跑過來：「快起來幫手捉賊！」

「**捉賊？**」來福登時愕然。

「是啊！快起來幫手，這個賊人剛打劫了村長，村長更刺得重傷，現在情況危殆，**生死未卜**，我們決不能讓這個壞蛋逃掉！快追！」壯丁們邊跑邊說。

「呼！好在他們沒有發現我偷懶……不過，他**這麼有錢**也會行兇打劫？不是吧？但是如果不是他，他又何故要掩上臉罩逃走？」來福雖然心中帶著狐疑，但情況混亂，沒有時間想太多的他也顧不了那麼多，立馬起身隨著壯丁們一起追出去。

來福打更多年從沒有遇上大事，但想不到一炷香之後，自己竟成了漁火村劫殺案的**最重要**證人——因為，他是**唯一一個**目擊兇手真面目的人！

第一章・最後晚餐

一個時辰前

（一個時辰＝兩個小時）

「青青姑娘，我是真心的！你看，我的手臂多粗壯！男人，要有廣闊的胸襟和臂彎才值得**付託終生**！別看我趙虎高大威猛，其實我也有溫柔的一面，外剛內柔、鐵漢柔情……還有……哎呀……明明上次把成語背好了……怎麼一時之間又忘了……哎！**衣冠禽獸**？對！好像就是衣冠禽獸！我雖然有著狂野的外表，但是內裡其實是一個衣冠楚楚的君子……」

面色一片漲紅的趙虎竟然突然示愛，不過對著的不是青青姑娘，而是一條大木柱！

「噓噓噓……快看快看！趙虎醉得像個大傻瓜！**哈哈哈！**」王朝、馬漢和張龍正在不遠處取笑趙虎。

「趙虎，我也喜歡你！」馬漢**躡手躡腳**地挨近趙虎，裝著青青姑娘的聲音作弄趙虎：「來！親一個！」

趙虎信以為真，竟真的親了木柱！一陣涼意傳到趙虎的嘴唇——原來，木柱剛上了新的油漆，趙虎的嘴巴亦因而多了一重鮮紅，猶如上了口紅一樣，活像是男扮女裝，滑稽得令人發笑。

「**哈哈哈哈哈！**趙虎，你這個『衣冠禽獸』！原來也有幾分姿色！」張龍掩著嘴偷笑著。

「哎呀！你們不要戲弄他了，我認識他這麼多年，也沒看過他這樣醉！」天樂樓的掌櫃**石天**從廚房捧著酒到來，笑著說：「這個護甲真的有這樣厲害嗎？整個衙門都到來慶賀，真的很少見……」

「當然了！這個護甲，是捕快界**最高的榮譽**，只有全國最精英的捕快和護衛才可以得到這個護甲！」張龍自豪地拿起護甲說。

「對啊，掌櫃大哥，你看看這裡……」馬漢將護甲遞向掌櫃石天：「*看到吧！*護甲上有一顆星星，全國只有幾個捕快才有這樣的榮譽……」

「真厲害！」石天一手拿著護甲，另一隻手拍拍醉醺醺的趙虎，想不到這個傻瓜也有這麼光榮的一天！真替他高興！」

「對啊對啊……我們四個人，每人一顆星，一共便有五顆……」趙虎明顯已經喝得酩酊大醉，這樣簡單的數字也搞不清楚……

王朝瞥一瞥**醉醺醺**的趙虎，一邊搖頭，一邊微笑著說：「石老闆，趙虎這個傻瓜能夠認識你這個好朋友，高興的應該是他！不過說真的，能夠得到朝廷賞賜這個護甲，還真多得包大人！要不是包大人帶領我們勇破野廟的**假高僧案**，我們也沒有這一天！」王朝看看鄰桌的包大人和青青姑娘，舉起酒杯：

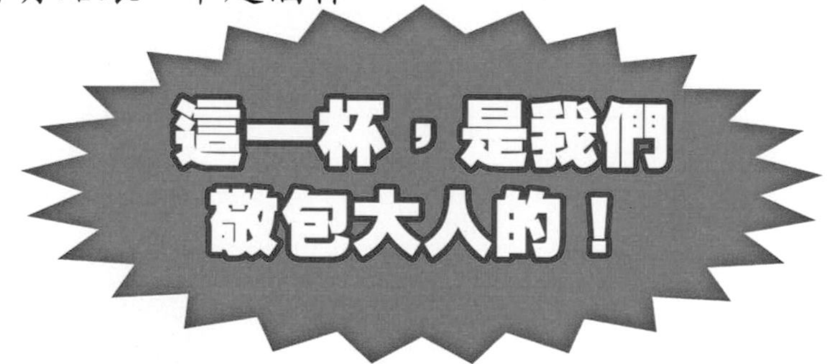

原來，開封衙門上下正在天樂樓慶祝四大捕快得到皇上御賜的一星護甲，衙門上下為破了案而高興，天樂樓一片喜慶。

「不過是區區一個**一星護甲**，竟然就這樣高興，真是令人發笑！」所有人舉起杯，準備祝酒，唯獨公孫先生沒有。一臉不屑的公孫先生大澆冷水：「知道誰拿了**五星護甲**嗎？是展護衛！全國上下只有展護衛一個才有這樣的榮譽，到你們拿了五星護甲時，才回來跟我炫耀吧……」

「哎呀呀，你這個**公孫大賊**，總是要掃我們興！那個甚麼展昭有甚麼了不起？我們破案的時候，他連影也沒有，神龍見首不見尾，有甚麼厲害？」**酒醉三分醒**的趙虎突然開口，嘴上還殘留著紅紅的油漆：「青青姑娘，你最公正，說句公道說話！」

「嗯……你們都很厲害！不過始終展大哥……」

青青姑娘一想起展昭，眼神充滿仰慕，臉也不禁紅起來。四大捕快看見青青姑娘想得入神的樣子，醋意湧上心頭。

「包大人！到底那個甚麼展昭何時才來開封？哪有捕快這樣**失職**，明明是包大人你的手下，卻遲遲未到開封！」向來冷靜的王朝也因為呷醋而忍不住追問。

「對啊！包大人，到底他在哪裡？」

其餘三大捕快也突然追問。

「唔……」沉默了一整晚的包大人終於從一堆堆得像山一樣高的碗碟中探出頭來，開口說話：

「石老闆，你炒的菜**真美味**！可否再來一碟？還有，王朝你們剛才在說甚麼？」

四大捕快「啪」的一聲，一同倒在地上——原來包大人一直只顧著吃東西，完全沒有聽到他們與公孫先生的爭論。

「哈哈！好的好的，包大人喜歡就好了，小的馬上再炒幾碟給你。」石天收拾著桌上的碗碟，回頭走向廚房。

「**慢著！**」包大人突然叫停石天，盯著石天胸口的一塊古玉。

「石老闆，你的玉佩還真的挺漂亮，不過恕包某失禮，**見識不足**，玉佩上的字……」

玉佩上果然有著奇怪的**符號**……

「哈！包大人你的眼光真好，不過也恕小人無知，這玉佩是我死去的**父親**留給我的，而上面寫著甚麼，可連我都不知道呢！」說罷，石天就把玉佩收回衣襟內，回頭繼續走回廚房。

不消一會，石天捧著熱騰騰的小菜出來，略帶勉強地說：「真不好意思，廚房中沒有太多材料，就這幾道菜吧，希望你們喜歡……」

想不到，趙虎看見小菜竟突然嘔吐大作！

「你不喜歡吃也不用這樣失禮吧！」馬漢忍不住斥責趙虎。

「哦……別介意，我想他應該喝多了，不勝酒力就吐出來，他**以前**也總是這樣。」石天不但沒有責怪，反而替趙虎解圍：「不如你們繼續吃，我先送他回家休息吧！」

「唉……**真失禮！**多虧有你，趙虎啊趙虎，真不知道你上世做了甚麼好事，竟然有幸認識了這個好朋友！石老闆，就麻煩你先送他回家吧！」王朝掩著頭，不堪趙虎大出洋相。

「來！走吧……」石天**二話不說**就扶起趙虎步出天樂樓，走到門口，石天突然回頭向包大人道別：「包大人，下次有機會再炒一些好菜給你吃！」扶著趙虎的石天微笑道。

青青拍拍只顧埋首美食的包大人，包大人才從美食中回神來，支吾回答：「吓？甚麼事……哦！好的……」

然後又繼續把目光投向美食，大快朵頤。

第二章・牛肉麵

石天扶著趙虎回家，二人的背影在大街燈籠的映照下拉長，**兄弟情深**。

「小天，想不到，今天的我們，一個成了得到皇上嘉許的捕快，另一個成了天樂樓的老闆，想不到當天**一窮二白**的小伙子，竟然有出人頭地的一天！」醉意令平日雄赳赳的趙虎忽然感性起來。

「你醉了……」石天沒好氣的繼續扶著趙虎。

「你記得嗎？當年我們沒有錢又肚子餓，竟然趁著人家老闆不發覺，偷了城隍廟旁那麵檔的牛肉麵，一碗麵還要兩個人分來吃？哈……現在回想過來，真是**年少輕狂**！」趙虎繼續話當年：「還記得那牛肉麵熱騰騰的，層層白煙冒出，簡直是世上最美味的食物……」

二人回憶當年，趙虎和石天都是十多歲的年輕人。二人當時**一貧如洗**，根本連買一個饅頭的錢都沒有。可是，當時正值大寒，天氣冷得要死，兩個衣衫不足的年輕人，挨著冷風，幾乎暈倒。

剛好，在城隍廟旁當時有一檔牛肉麵，二人**把心一橫**，趁老闆不留意的時候，爬到檔口的門前，悄悄偷走了一碗牛肉麵，二人一同分享——趙虎和石天兩人都知道，偷竊是不對的事，但是再不吃東西，他們就會餓死，所謂「**人在江湖，身不由己**」，也就是因為經歷這樣的難關，他們立志要出人頭地。

結果，他們終於**夢想成真**。

石天被回憶打動，也忍不住感慨：「說起來，自從打理天樂樓開始，既要準備食材，又要算著店子裡的帳，真是**一分錢**也不敢多花……就算一碗牛肉麵，我也未必吃得起……」

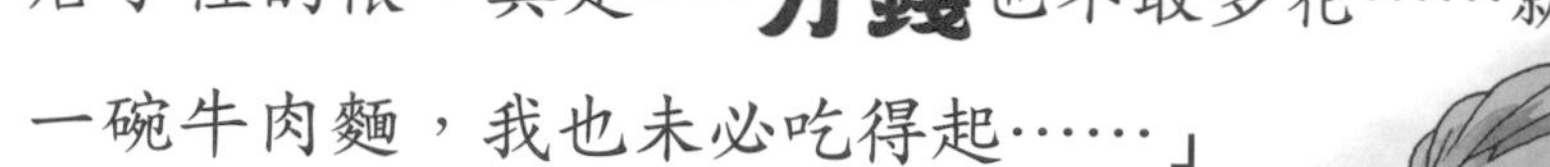

「你這個**守財奴**！哈哈！天樂樓生意這樣好，幾乎天天都客似雲來，你怎會沒有錢？」

「唉……你就當我是守財奴吧……但我真是……」石天**欲言又止**。

「你真是開玩笑，一碗牛肉麵可以有多貴？好了好了！不折騰你了！過兩天，我請你吃吧！哈哈！本大爺現在是**一星捕快**，我想麵檔老闆都要給我一點面子，會給我賣便宜一點吧！到時候，我們再請老闆飲酒，就當是為小時候的過錯賠罪吧……」醉酒的趙虎摟緊石天的肩，一副大爺的氣派，在趙虎的單純世界裡，世事簡單，而明天只會愈來愈好，沒有解決不了的難題。

「過兩天……」然而，石天卻沒有回應，心中似有**難言之隱**。「過兩天我可能也已經離開開封了……」

「**離開開封？**為甚麼走得這樣突然？」趙虎問。

「沒有甚麼突然不突然，只是有人看中了天樂樓，我要離開幾天，與買家談一下生意而已……」

「天樂樓生意真的不好嗎？你小時候的志願就是開酒家當老闆，如今你捨得將它賣掉嗎？」

「虎，**家家有本難唸的經**……世界上有很多東西，不是說解決就可以解決到的……不過，有機會的話，我也會盡力保住天樂樓……」石天**黯然**地說。

二人繼續走著，忽然無話，影子愈拉愈長，慢慢隱沒在黑暗之中。

第三章．昨日好友，今天兇手？

「**趙虎！快醒來！**」一把兇惡的聲音把趙虎從睡夢中吵醒。

「哎呀！搞甚麼呀？」酒意未完全散去，頭痛像電擊一樣猛烈地襲向趙虎。趙虎揉揉眼睛，一張開眼，竟發現王朝、馬漢和張龍竟然整裝待發地站在他的床邊！

「你知道你昨晚把**漁火村劫殺案**的疑犯放走了嗎？」王朝緊張地說。

「甚麼？怎麼我一句都聽不明白？」趙虎一頭霧水。

「你的好友，石天！昨天晚上，我們在慶祝的時候，漁火村發生劫案，兇徒不但搶走大量財物，更刺殺了村長，村

長最後**失血過多**而死！而兇徒逃走時被村民發現，更被當晚守夜的更夫認得，根據更夫的口供，兇徒就是天樂樓的老闆，石天！」

「怎麼可能？小天昨晚都跟我們在一起，怎會有可能分身作案打劫？朝哥，看來你說笑的道行還未到家。」趙虎覺得王朝等人**小題大做**，一個有不在場證據的人，又怎會可以分身殺人呢？

趙虎笑著說：「最可笑的是，能夠確保小天不在場的人，都是我們開封衙門的精英，這個不在場證據可謂**堅實無比**。朝哥，你們想清楚再來找我吧！難得包大人允許我們休假半天，我酒氣未過，頭有點痛，看來要多睡一會了。晚一點回到衙門再說吧……」

趙虎**不置可否**地準備回到被窩之中，王朝竟然用勁抓著趙虎，阻止他回到夢鄉，說：

「沒有錯，石天昨晚是跟我們在一起。這點大家都知道。但是，當他送走你之後呢？之後的事情沒有人知，而你亦早已**爛醉如泥**。有一個疑點我們不能忽視，就是石天借我們作不在場證據，然後在送走你之後，再借機到漁火村打劫！」

王朝的假設令趙虎**當頭棒喝**！

趙虎忽然想起：昨晚石天談起酒樓的生意時支支吾吾，彷彿連一碗牛肉麵也吃不起，似乎有口難言——難道，天樂樓只是**表面風光**，實際上生意不好，為求填債，所以石天要鋌而走險？的確，昨晚趙虎**不勝酒力**，跟石天說了幾句往事之後就不省人事，連自己甚麼時候回到家中，趙虎也沒有印象。因此，石天的確有可能透過這段真空的時間作案！但是，石天真的會這樣做嗎？連趙虎也不敢肯定。

畢竟，石天自從十六歲之後就離開了開封，到最近半年才**衣錦榮歸**。到底中間的十多年，石天交了甚麼朋友，做了甚麼事，趙虎一概不知，也因此不能排除石天早已在外頭學壞了的機會。加上，生意似乎出現問題，為了保住天樂樓，一時想歪也不足為奇。

「起床吧！我們還要趕去漁火村……」王朝的說話把趙虎從混亂的思緒中拉回來。

「但是……」趙虎**心戚戚然**。

「但是甚麼？難道他是你的朋友你就會包庇他嗎？我認識的趙虎不是這樣的人，快起床洗臉！」馬漢催促著。

「公孫先生已經出發，我們再不起行，公孫先生就會向包大人**打小報告**了。」張龍也忍不住開口：「是不是要我替你洗臉你才願意下床？一星捕快先生？」張龍一瞥趙虎桌上的護甲，暗示和提醒他的職責所在。

「嗯……」心中仍然**忐忑不安**的趙虎被王朝等人半拉半推，不情不願地拉下床，梳洗起行。

四大捕快跳上馬車趕往漁火村。車上的趙虎注視窗外，樹影婆娑間看到陽光穿插滲透，光線被遮擋著就像真相被隱瞞一樣，趙虎的眼中不禁隱隱地流露出不安的情緒——**到底，好友石天是否真的借故製造不在場證據，然後行兇打劫呢？**

第四章・無私顯見私

「噠噠」的馬蹄聲停在漁火村的村口，四大捕快終於趕到**犯罪現場**。

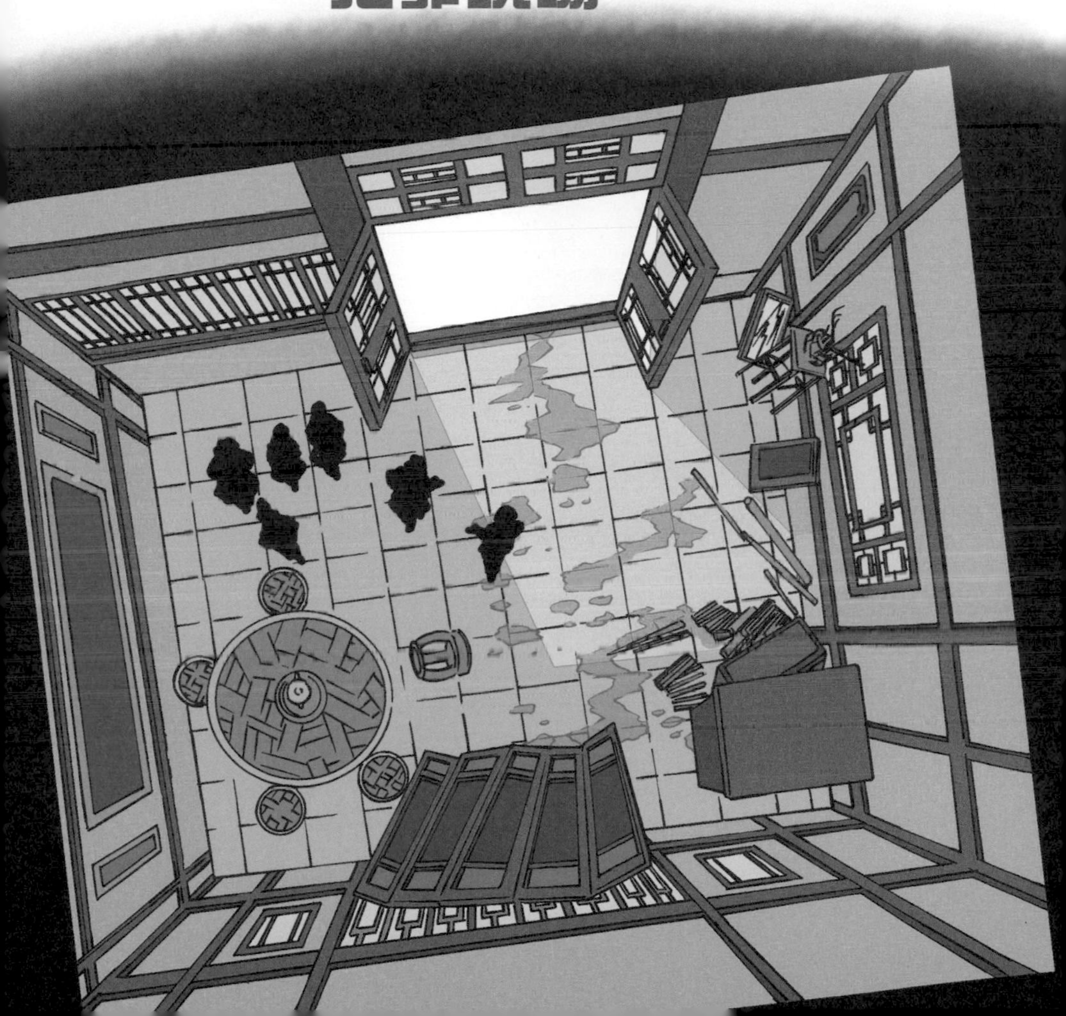

「他就是**目擊證人**？」王朝問，其餘三個捕快站在旁邊。張龍、馬漢神情無異，唯獨趙虎仍是一臉忐忑不安。

「對，他叫來福，是當晚負責守夜的更夫。他聲稱親眼目睹疑犯逃走。」公孫策把手放在來福的肩上，說：「把你看到的一五一十說出吧。」

各位大人，小人當晚守夜，本來十分平靜。然而，突然之間，有一個黑衣人不知從哪裡衝出來，把我撞個正著！我被撞倒之後，抬頭一看，大吃一驚。因為我認得撞倒我的人，就是天樂樓的老闆石天！然後，其他村民都緊隨而至，告訴我，撞倒我的人就是刺死村長，打劫搶錢的兇手。

來福將當晚的事件**和盤托出**，樣子一臉誠實，不似有半點虛構。

公孫先生問。

「大概沒有了，但我相當肯定，**兇手就是石天**……」

你憑甚麼這樣肯定？根據其他村民的描述，當晚的兇手全身黑衣，而且戴上臉罩，你憑甚麼這樣肯定，你見到的人就是石天？

一向在盤問證人時沒有甚麼意見的趙虎，竟然一反常態，未待王朝等人開口，已經搶著發問。

「因為他撞倒了我之後，我和他對視了半刻。當時他的面罩被我撞甩了，所以我很清楚地看到了他的全貌。我肯定沒有看錯，我來福出名過目不忘，而且我和幾個村民朋友不時到天樂樓吃飯，石老闆都有親自招呼我們，我認得石老闆的樣子，所以我肯定，當日我撞到的人就是石天石老闆……」來福的證供**振振有詞**，更令趙虎確信石天就是兇手。

「還有，兇手當日更遺下了一塊玉佩……」

來福把玉佩拿出來，王朝等人馬上認得，這塊玉佩無論色澤和形狀都跟石天當日在天樂樓展示的那塊**相當相似**！正當大家懷疑之際，一把惡狠狠的聲音突然傳來。

「**真奇怪！**作為守夜的更夫，竟會不知道有人闖入了村中，更不知道劫案發生？難道你被鬼掩了眼，擋了耳，所以甚麼都沒有發現嗎？所以你才後知後覺劫案發生了嗎？更重要的是，你根本沒有看到兇手行兇，你憑甚麼肯定，一個陌生人撞倒你，就是兇手？你可以解釋到嗎？將一大堆**似是而非**的東西串起就當作是證據，你到底居心何在？」向來**不善言詞**的趙虎竟然咄咄逼人，不停質問來福。

「你的證供根本不可靠，你這樣說，反而令我懷疑你找了外人**裡應外合**打劫村長，然後嫁禍石天，但是你找錯人了，因為石天有不在場證據……」雖然趙虎心中相信兇手很有可能就是石天，但是在言語間卻處處為石天辯護。

「***夠了！趙虎！***」王朝看不過眼，忍不住開口喝止趙虎繼續連珠爆發。

「夠甚麼？捕快就是馬馬虎虎，不可以問清楚嗎？」趙虎反駁。

二人各自走前一步，各不相讓，火藥味從二人的眼神中萌生！

張龍馬上隔開二人，拉開趙虎到一邊，輕輕勸阻：「阿虎，你冷靜一點！**無私顯見私**啊！你這樣不停追問，只會更令人覺得石天有嫌疑。朝哥怕你嚇壞證人，也只是做好本份……」

趙虎聽到張龍的說話，方才稍為冷靜下來。

在旁的馬漢也加入，繼續向趙虎痛陳利害：

「你說得沒有錯，石天有**不在場證據**，而且他是酒樓掌櫃，有錢得很，根本沒有行兇動機！我們做的，只是循例錄口供，事情最終還是會交給包大人定斷。包大人公正嚴明，必定會找出真兇，斷不會冤枉石天……」

「*除非……*」一把討厭的聲音響起——說話的人，正是公孫策。「你知道一些我們不知道的內情，為了包庇朋友，所以一直隱瞞！」

趙虎火冒三丈，破口大罵：「你這個公孫大賊，你是不是想**找碴**？還是想試一下我虎形拳的滋味？我趙虎隨時奉陪！」

「趙虎！**你太過份了！**這裡不需要你！你先回衙門！」王朝實在看不過眼，終於決定要趕走趙虎，避免他影響調查進度。

王朝一喝，馬漢和張龍也不禁一嚇，冷汗倒流。要知道，王朝一向是**最冷靜**的一個，在場所有人也從沒看過王朝發這樣大的脾氣！然而，趙虎脾氣火爆，照道理不會接受有人對自己呼喝——如今的情況，有如**火星撞地球**，各不相讓的話，可能二人會大打出手。

馬漢和張龍知道事態嚴重，不禁對望，思考如何為趙虎解圍。然而，想不到的是，趙虎竟然沒有**發飈**！

「好！我先離開……」說罷，趙虎轉身就走，頭也不回。

半個時辰後，王朝等人把口供和證據都蒐集得**七七八八**，準備離開時，竟然有一個意想不到的發現——

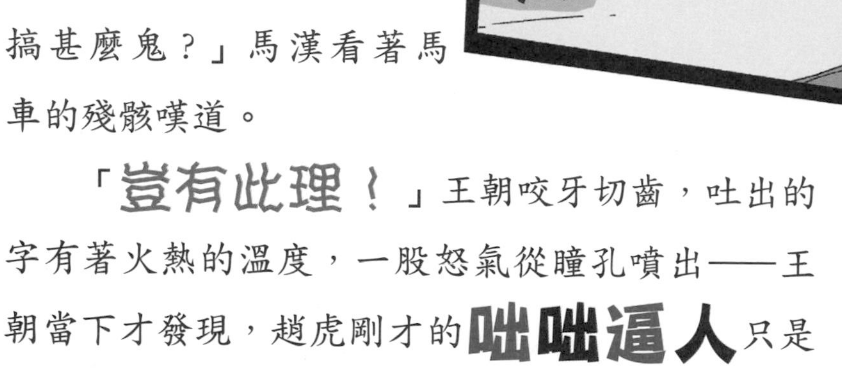

趙虎把來時的馬車駕走，更將村口其他馬車都全破壞掉！

「這個趙虎，到底在搞甚麼鬼？」馬漢看著馬車的殘骸嘆道。

「**豈有此理！**」王朝咬牙切齒，吐出的字有著火熱的溫度，一股怒氣從瞳孔噴出——王朝當下才發現，趙虎剛才的**咄咄逼人**只是一場戲，目的就是要製造機會，先行離去！

究竟，趙虎在盤算甚麼？

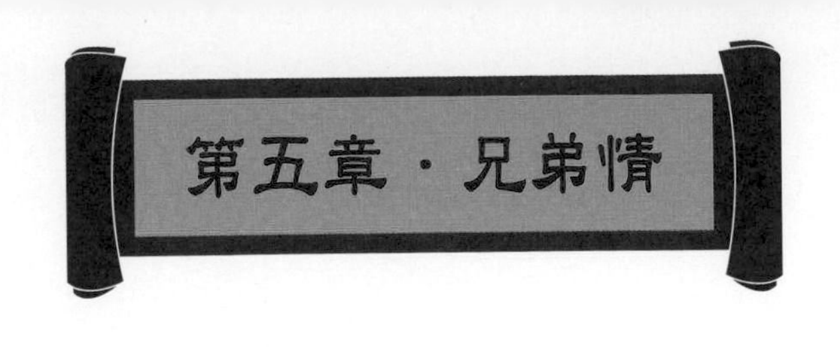

躂躂……躂躂……

「小天的事，一定要由我自己搞清楚！」

馬車以最快的速度奔騰，橫衝直撞，幾次差點撞倒路人亦沒有停下，而馬車上策騎的人，正是**心急如焚**的趙虎，他的目的地，正是石天的所在：天樂樓。

「小天，出來！我有重要事要問你，時間無多，快出來！」趙虎**汗流浹背**，一臉匆忙地跑入天樂樓，尋找石天的蹤影。然而，平日人山人海的天樂樓，今天竟然門可羅雀。

趙虎的說話在空蕩蕩的酒樓中幾乎產生出回音，可是，趙虎得到的回應竟然是零。廚房、樓面、地庫都不見石天的身影。

最後，趙虎闖入帳房，終於找到石天。

但想不到，石天身處的帳房竟然一片混亂！帳簿、櫃子、文房四寶竟然**散亂四周**。更出人意表的是，石天竟然在拚命地把店子裡的銀票和銀両塞進一個袋子內！

「小天！你在幹甚麼？難道你真的殺了人，準備**夾帶私逃**？」趙虎既驚訝，又失望地問。

石天仿似沒有聽到趙虎的說話一樣，完全沒有反應，只顧著把錢塞入袋中。

「**小天！你聽到我的說話嗎？**」

趙虎忍不住提高聲線激動地說。

石天終於有反應，抬頭看著趙虎！但奇怪的是，石天竟然向趙虎說：「吓？你……你在叫我嗎？」彷彿完全不認識趙虎一樣。

「不叫你叫誰？房內有**另一個石天**嗎？真氣人！」趙虎一臉生氣地說。

趙虎吞吞口水後繼續追問：「老實答我，昨晚你是不是在送我回家之後，到漁火村打劫？我剛到過現場，作供的人不似在說謊……」

「……我們相識十多年，我早當你是我的**親生兄弟**！我知道你可能有難言之隱，可能是酒樓生意有問題，你需要**金錢周轉**，也可能是其他原因，這些我統統不理！作為兄弟，我只想親口聽你答我一句，到底漁火村的兇手是不是你？」趙虎心如火焚，急欲知道真相。

一聽到漁火村三個字，石天突然停下手，沒有再把錢塞入袋——然而，他的嘴巴卻沒有任何動靜，良久也沒有吐出半個字，帳房內氣氛沉寂，石天似乎正等待趙虎把說話繼續說下去。

「如果你告訴我，兇手不是你，無論證據如何確鑿，**就算所有人都認為你是兇手**，我都會信任你，用我作為捕快的所有能耐還你一個清白；但是如果你是兇手……」

趙虎遲疑半刻，似是難以啟齒：「……就請你馬上在我**眼前消失**，有多遠走多遠，千萬不要讓我找到你……我把其他捕快的馬車都弄破了，從漁火村趕回城中心相信也有一段路，趁他們還沒有回來，要走，***還來得及***……」

石天沒有回應，似是默認一樣。

原來，趙虎刻意製造一場**大龍鳳**，提早離開，把王朝等人困在漁火村，就是要為石天製造時間，好讓他有機會逃走！

「你是我的好兄弟，我不想親手將你鎖入大牢……」趙虎別過身子，不敢回望石天，憂心地等待答案。心中打算，即使聽到最不想聽到的答案，也希望可以**隻眼開隻眼閉**，留石天一條生路。

石天驀然站起來，一臉木然，嘴巴仍然沒有吐出半個字，房內似是凝住了。

突然，一把聲音劃破了僵持。

「他是你的好兄弟，
難道我們就不是嗎？」

趙虎沿著聲音的來處一看——說話的人，竟然是王朝、馬漢和張龍！

第六章・捕快內戰

「你們……」趙虎一臉驚訝地看著三人。

「虎，想不到你會做出這樣的事情！」

張龍青筋暴現地質問趙虎：「你這樣做還算是捕快嗎？」

「昨晚才一起慶祝我們得到護甲，今天你就在做這樣的事！你對得起護甲、對得起我們、對得起『捕快』兩個字嗎？」馬漢**火冒三丈**，眼睛用力瞪著趙虎。

「刻意留難證人、破壞我們的馬車、製造機會讓疑犯逃走……案還沒有審，罪還未定，你就已經出手阻止我們捉住石天，根本你就知道事情背後的真相——**石天就是兇手！**」王朝眼神銳利，有如一枝刺針，將要刺穿趙虎的荒謬。

王朝三人與趙虎對峙著，兩幫人之間雖是咫尺，但真正隔著的，卻是一條難以逾越的楚河漢界。

天樂樓外的泛黃落葉被風徐徐吹起，葉子刮在地上的聲音聲聲入耳，一股蕭殺之意一下子由外而內地籠罩著整個天樂樓。

「你現在只有兩條路：一，走前兩步，回到我們的陣營，做一個捕快應該做的事，將做壞事的人繩之於法……」王朝以**如刀似刃**的眼神壓向趙虎，語氣**鏗鏘強硬**：「……二，站在你現在的位置，繼續執迷不悔——然後，你，趙虎，就不再是我們的兄弟！」

情義兩難存。

時間彷彿靜止，一滴汗悄然地在王朝的額頭上爬著。

向來最**冷靜鎮定**的王朝，也居然緊張起來，心跳得愈來愈快，耳窩也幾乎被心跳的聲音完全佔據。馬漢和張龍亦然，他們都在擔心，到底趙虎會如何抉擇。

所有人都將目光注視在趙虎的腳上，這雙腳向前，還是停留原地，將會改寫開封**四大捕快**的友情和命運。

「你們……是我的兄弟……」趙虎的右腳似有向前之意。

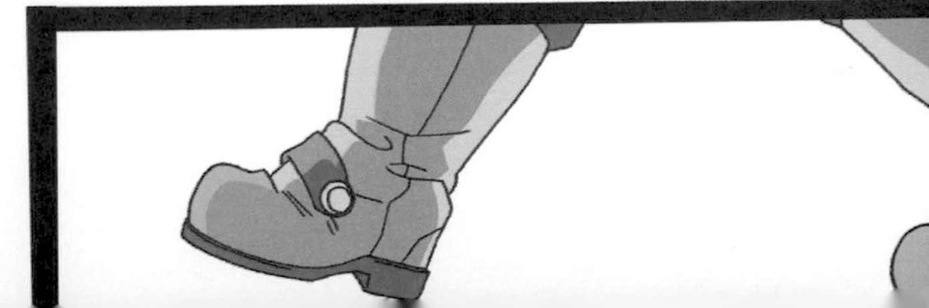

「但是，這一次我寧願錯，也不想後悔！」

神情肅穆的趙虎吐出心聲，右腳猛然踏前——

然而，隨之而動的，竟是趙虎的拳頭！

「得罪了！」趙虎的虎形拳重重地殺向三人！

感情牢固，情同兄弟的開封四大捕快終於決裂，一場捕快內戰即將展開！

王朝彈腿而飛，剛剛好地避過趙虎的勾拳。拳風掠過王朝臉龐，直接打中王朝身後的木牆，力勁穿透，木牆馬上裂開！

「可惡！」王朝從木牆裂開的程度，看出趙虎的出拳根本完全不留半點情面。

在旁的馬漢和張龍知道趙虎動真功夫，交換眼色，不敢怠慢，立馬一上一下地，同時向趙虎擊去！趙虎從眼梢看到兩道拳路，即刻把深入木牆的拳頭抽出，雙手一擋，雙腿一格，**巧妙防守**，將二人的攻勢在瞬間完全化解！

拳來，腳往。

雖然開封捕快四人皆是武功高手，始終各有高低，趙虎的武功和力量亦明顯在三人之上。就算三人聯手，未佔得了太大上風。王朝等三人只能像「三英戰呂布」一樣聯手制住趙虎。

馬漢以一記「泰山壓頂」壓住趙虎肩膀，同時，王朝使出「風林火山」襲向趙虎中路， 說遲時那時快，張龍也以一腳「飛龍在側」側踢向趙虎腰間——趙虎再也按捺不住，一招「釜底抽薪」，猛力轟向地下，產生莫大的震盪，以內力一下子竟將王朝等三人狠狠震開！

「停手！」一把充滿威嚴的聲音喝住了酣戰中的四大捕快。四人不約而同地馬上停下手中拳頭，向天樂樓的大門投注目禮。

因為，他們認得這把聲音——包大人出現了！

第七章・詭譎的微笑

四大捕快停下手，眼睜睜看著包大人向石天走過去。

「石老闆，你知道有人指證你，說親眼目擊你昨晚在漁火村打劫傷人，刺傷人後不顧而去嗎？」包大人用溫柔的語氣，表面**閑話家常**，實際是在試探石天：「那個被你刺傷的人最後傷重而死，罪名可不輕呢……」

石天與包大人互相對望，二人的眼波暗藏著一場**較勁**。

假如四大捕快的內戰是一場激烈的武鬥，那包大人

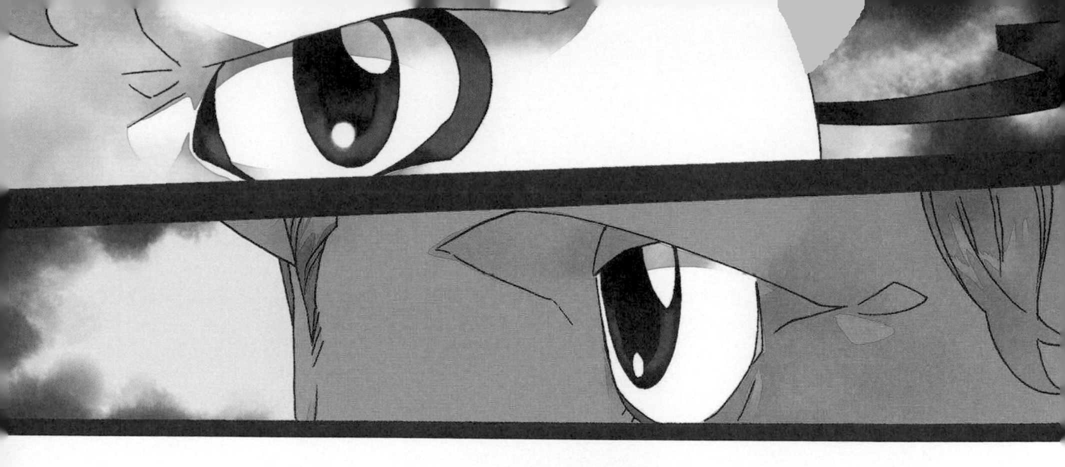

與石天的眼神角力則是一場暗藏波瀾的文鬥。

似是平靜，實則**內含殺機**。二人所產生的氣場，也不比四大捕快打鬥時的殺氣弱。

「別人說你是兇手，你怎麼看？」包大人充滿威嚴的判官眼，堅定有力地望著石天，似乎一記狠狠的攻擊。

「**可笑。**」出乎意料地，石天竟然展露出一個詭譎的笑容，**四兩撥千斤**地將壓力卸去。「在場所有人都知道，我昨晚整晚都和你們在一起，我怎可能分身到漁火村殺人呢？」

趙虎不大相信自己所聽到的說話，不禁一愣，因為他一直以為石天就是兇手：「小天……你不是……」

「你剛才問我的問題，我還沒有回答，不是嗎？」此刻的石天回頭望向趙虎，微笑著說。

的而且確，由趙虎趕到，**連珠爆發**地發問，到其餘三大捕快出現，展開打鬥，石天始終沒有親口承認過自己殺人，所有東西都不過是趙虎個人的揣測。

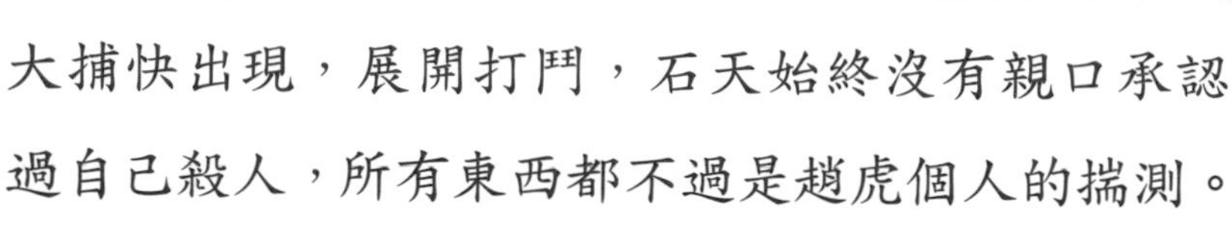

「我現在告訴你，我的答案是：沒有。我沒

有殺人。」石天答得斬釘截鐵，沒有半分虛怯。

「既然如此，何解你又翻箱倒籠，把帳房弄得**一塌糊塗**，然後把所有錢都塞進袋裡？分明是作賊心虛！」斷定石天必然是殺人犯的王朝顯然不相信石天的說話。

「王捕快，你知道世人最常犯的錯誤是甚麼嗎？」石天突然講起**哲理**來：「就是先入為主。你由一開始已經假定我殺了人，於是無論你看見我做甚麼，都自然地把我的行為和罪案連起來。看見我收拾帳房，就以為我要**落荒而逃**。假如你進來時，看見我在洗手，豈不是會以為我剛殺完人，要洗走犯案的**血漬**？」

石天將目光投向包大人，略帶輕浮地說：「我也不過是見帳房已經一段時間沒有打掃，所以收拾一下而已。**先入爲主**，單憑一些零碎的線索就斷定我殺了人，似乎是未審先判，兒戲了一點……你說對不對，包大人？」

「石老闆，你說得沒有錯。」包大人**神情自若**，對石天似乎沒有半點懷疑。「不過，既然有人指證你，始終你也有一定的嫌疑。一個有嫌疑的人，總不能未經審判，就當是無罪，官府要服眾，斷不能**貿貿然**放走疑犯吧？」

「同意，包大人言下之意是？」石天繼續自信反問，完全沒有破綻，一點也不像**心中有鬼**。

「進牢待審。暫時委屈你，先到牢房住幾天，待本官查清楚，確定你的嫌疑洗脫後，再還你一個清白，好嗎？」包大人友善地說。

「當然！清者自清，小人願從。」石天一臉合作好市民的樣子，竟然將雙手遞向王朝，表示願意隨時讓王朝在自己的手上架上枷鎖。

「包大人……」深信石天殺人的王朝眼見如此，不禁想提出質疑。可是，包大人只伸出手掌，示意「**夠了**」，王朝亦識趣閉口。

「有請……」石天謙謙有禮地請王朝鎖起自己，然後被押回衙門牢房。

這場文鬥在平靜中藏著暗湧，事情似乎並不簡單。石天的笑容略帶詭異，開封衙門的所有人都似是被他犀利的言詞**牽著鼻子走**。假如石天是真兇的話，一個殺了人的人又怎會如此冷靜，又怎會願意自投羅網進牢待審？然而，如果石天是無辜的話，**真正的兇手**又會是誰？

第八章・兩個可能

開封衙門的後堂內，四大捕快、公孫策和包大人等人正在討論案情。王朝等三大捕快對趙虎仍然充滿敵意，唯獨**心地善良**的青青姑娘仍然願意接受趙虎，為他包紮傷口，呵護備至。

「趙虎，到底搞甚麼鬼？你的那個所謂兄弟，到底有沒有殺人？」馬漢心急地問。

「對了！如果他真的沒有嫌疑，你又怎會搞出這麼多事來？你瞞著我們趕回來，就是為了放走他，先不說你這樣做是否正確，但可以肯定的，就是連你都覺得，石天很可能就是兇手！」張龍推理說。

王朝淡淡然地說，顯然對趙虎為石天而向自己人出手仍然介懷。

「呃……說真的，我也不知道。」趙虎一臉迷糊地說。「其實早在他送我回家當晚，我就隱約估計他酒樓的生意可能有問題，因為他連花錢吃一碗牛肉麵也捨不得，似乎有**難言之隱**……」

「加上，有人目擊他打劫殺人，我就以為他為了保住酒樓，一時想歪了，要打劫填債。況且，小天雖然有不在場證據，但這個所謂**不在場證據**其實薄弱得很，他的確有可能在送走了我之後才到漁火村行兇……基於這些猜測，我不排除他真的殺了人……」趙虎邊說邊愧疚地看著其餘三大捕快。

「但是，我又不忍心看見他坐牢，所以……」

「所以你就可以包庇犯人了嗎？」王朝針鋒相對。

「王朝！」包大人冷靜地調停：「我不是說了一切暫時**既往不咎**嗎？石天未被證實有罪，趙虎是最了解石天的人，對調查相當重要，就當是讓他**戴罪立功**……」

「虎哥，還有甚麼你覺得特別嗎？」馬漢似乎早已對趙虎釋懷。

「除了昨晚的事，你還有發現有何不妥嗎？」

「嗯……剛才小天的說話，不太像我認識的他。我認識的小天，一向是一個**內向收斂**的人，但是剛才的他……」

「**太自信了吧？**」張龍推理說。

「的確！照趙虎說的話，石天有足夠的動機行兇，也有人證指證……按道理，石天如此容易就範進牢，豈不是**自投羅網**？而且，把錢都找了出來，將帳房弄得亂葬崗似的，也竟然說成是收拾房間，雖然說得過去，但是明眼人一看，就知道其中必有蹊蹺……」公孫先生說。

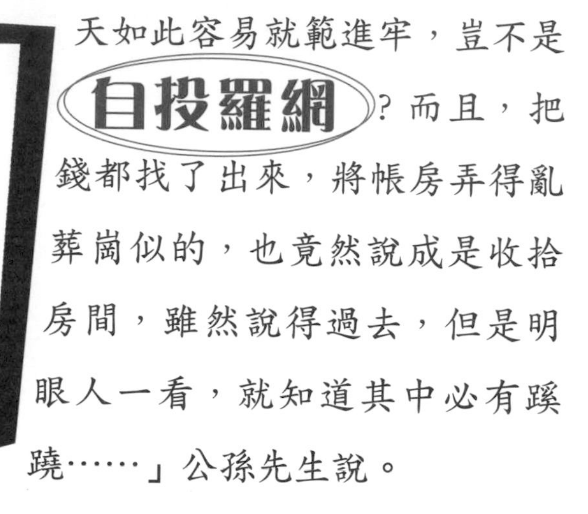

「但是，總不能因為一個人忽然變得有自信，或者把房子弄得亂亂，就懷疑他了吧？雖然趙虎說的行兇動機成立，但是說到底也只是揣測而已……」摸不著頭腦的王朝。

「趙虎，你真的沒有補充嗎？」公孫先生問。

「嗯，讓我再想想……」趙虎托著下巴，皺起眉，努力回想有何端倪：「啊！**我想起了！**我記得當我一衝入房間向小天說話時，一開始小天彷彿沒有聽到我的說話，然後心急的我不禁大聲追問時，他才發現我在叫他，更說了句：

『你在叫我嗎？』

……不知為甚麼，我總覺得他這個反應怪怪似的……」

「果然如此……」包大人突然唸唸有詞：「其實這件案件，只有**兩個可能**：一，石天是一個高智慧罪犯，他正在挑戰我們，甚至在布一個局。」

「布局？」

張龍一頭霧水。

「沒有錯！表面上，石天沒有殺人，所以清者自清，不怕入牢待審，看起來似乎非常合理。然而，如果是無辜的話，又怎會願意為清脫嫌疑而住進牢房呢？進牢這幾天，天樂樓的生意如何是好？生不入官門，一個真正沒有犯罪的人是絕不會願意讓與自己無關的罪名，影響到自己的生活。本官提出進牢待審，就是要試探他……」

包大人徐徐分析。

「不過，他願意進牢待審，也就是說，他有**十足的把握**，我們找不到他的把柄，又或者有人會監房外幫他脫罪……」

包大人說到這裡，王朝和公孫策**不約而同**地瞪著趙虎。

「絕不會是趙虎。因為經此一役後，大家對趙虎都有**戒心**，他根本難以行事，假設他真的布了一個局，幫他的人絕對是一個我們想不到的人。」

「那另一個可能呢，包大人？」馬漢問。

「就是石天的確沒有殺人……」包大人淡然道。

「但包大人你剛才不是說他願意進牢待審就代表他有很大的嫌疑嗎？既是如此，他又怎可能是**無辜**？」王朝問。

包大人竟然拋出一個令人意想不到的答案：

「誰說這兩個可能不可以同時成立？」

「兩個可能同時成立？」張龍大惑不解。「石天怎會既**是無辜，又是有罪？**包大人你到底在說甚麼？」

「小心求證，大膽假設！」包大人捋著鬚，看著趙虎，自信地說：「運用你們的想像力吧！這案件不是你們想像般簡單，假如趙虎的觀察沒有錯，這可會是一件**相當特別**的案件。過幾天，相信會有更有趣的事情發生……」

這時候，包大人突然左手拿起當日在漁火村現場拾到的玉佩，**閉目沉思**，似在回想某些東西的，而右手則伸出手指，隨著記憶，好像在空氣中畫著甚麼似的。

然後，他就徐徐拿起一張紙和一枝毛筆，走回書房。

在座的其他人被包大人的奇怪言論和舉動弄得一頭霧水。他們怎想也不明白，到底，包大人腦海中正盤算著甚麼，而事件背後又藏著怎樣的真相……

第九章・牛與羊

監牢內，灰暗陰冷，走廊中只有幾盞油燈，光線**晦暗不明**，隱約影射到犯人欄內石天的背景。

平常人坐牢，感受不外乎痛苦憤懣，或是後悔怨恨，都是極端而負面的。可是，石天卻非常平靜，只是**不動如山**地盤膝而坐，彷彿完全不為外界所動。其冷靜淡然的感覺，與監牢內的環境**格格不入**。與其說他是一個疑犯，他更像是一個苦行僧，正在痛苦的環境中修行。

「你真的一點也不擔心嗎？」趙虎帶著食物到監牢探監。

「有甚麼好擔心？」石天淡然地回答。

「我也不知道，包大人似乎對你仍有懷疑。但是他同時又說了一堆**似是而非**的說話，說甚麼你有罪，同時也沒有罪……我真的不知道到最後會變成怎樣……」趙虎把所知的毫不保留地告訴了石天。

「是嗎？包大人這樣說嗎？哈哈！」石天莫名其妙的笑了笑，然後繼續說：「**清者自清**，況且我有你這個好朋友，如果我被冤枉，你必定會替我**伸冤**的，對吧？」

看著石天的笑容，趙虎心裡有著一種說不出的陌生感。到底石天和包大人各自在想甚麼，趙虎始終**百思不解**。

「對了，你這次來，好像帶了一些食物給我，對吧？來來來，快拿出來看看，我的肚子也有點餓了。」對入獄完全**不當是一回事**的石天只關心趙虎到底帶了甚麼美食讓他解饞。

「哦哦……哦……我也差點兒忘了……」思路被打斷的趙虎從竹盒子裡拿出一碗麵，結結巴巴地說：「看……是你最喜歡的『羊肉麵』！你……快……起筷吧……」

「哦！**羊肉麵**是吧？趙虎你真的有我心，連我喜歡羊肉麵你也記得，我真沒有交錯你這個好朋友！」

趙虎看著石天吃得**津津有味**，心裡也只得苦笑。

不消一會，石天就把羊肉麵吃光。趙虎收拾好用過的餐具，與石天道別過後，就離開牢房。

想不到，在牢房外等著趙虎的，竟是青青姑娘！

青青姑娘好奇的問。

「嗯……但是，我真不明白，到底包大人為甚麼要我這樣做……既要我把我們討論過的內容告訴小天，又要我刻意把小天最喜歡吃的『**牛肉麵**』說成是『羊肉麵』……難道一碗麵就可以試得出小天是否真的殺了人？牛肉和羊肉到底又有甚麼分別？難道愛吃羊肉就代表會殺人嗎？唉……真是令人**一頭霧水**……」趙虎茫無頭緒，始終不明到底包大人在玩甚麼把戲。

「其實我也不知道牛肉和羊肉有甚麼分別，我只知道，事情愈來愈複雜了……」青青姑娘說。

「愈來愈複雜？我不明白你在說甚麼……」趙虎對青青姑娘說的話感到**莫名其妙**。

「就在你進監牢的一炷香時間裡，漁火村居然再次發生劫案，被劫者竟剛好是上次指證石天的更夫來福，而更不可思議的是……」

「***甚麼？究竟是甚麼？***」趙虎緊張追問。

「來福說，他認得打劫他的人，竟然又是石天！」

趙虎聽到消息，**大愕**！

「怎麼可能……小天正在牢房裡，怎麼有可能分身到漁火村行劫？既然如此，那就不是在說小天不是兇手，**真兇另有其人？**」

第十章・分身犯罪？

包大人帶同王朝等一眾人親自出動到漁火村蒐集證據。

「我真的沒有說謊…… 刺傷我的人就是石天……」撫著傷口，已無大礙的來福說。

「來福，請你好好想清楚自己在說甚麼！上一次根據你的口供，刺死村長的人是石天，我們已經就此將石天暫時收監。因此，你所說的幾乎完全沒有可能發生。一個身陷囹圄的人又怎能分身到漁火村刺殺你？」公孫先生針對著來福證供上的疑點盤問。「你知道嗎？如果根據你今次所說的話，我們很有可能會推翻上一次的證供。因為，今次你聲稱目擊刺傷你的石天，根本不可能分身到來，所以疑凶是石天的可能性已被排除，很有可能是你認錯人……」

「所以，根據同一邏輯，既然今次你認錯了人，那麼也極有可能，你在上一次目擊刺傷村長的真兇時，也是同樣地認錯人……」

王朝一臉疑惑地說：「**難道，真兇真的不是石天？**」

來福眼神堅定地說：「捕快大人，我知道我這樣說出來，的確非常**匪夷所思**。我們整條漁火村的人都知道石天已經入獄，等候包大人的裁決。假如我要說謊，冤枉石天，也不會編一個分明有破綻的故事吧？然而，事實的確如此，我真的沒有說謊……」

「你口口聲聲說攻擊你的人是石天，但是你身上根本沒有**財物損失**，就算我假設你沒有說謊，難道石天看上你天生醜陋，覺得你雖無過犯，但面目可憎而去攻擊

你嗎？從犯案動機的角度去想，這次的事件根本就是無稽！」張龍也開始懷疑來福的說話。「老實說，其實會不會是你本身與石天有過節，所以要千方百計地誣陷他？」

馬漢抱著臂說：「難道真的讓趙虎胡猜說中，你找了外人裡應外合打劫村長，然後嫁禍石天？」

對於所謂的分身行兇，所有人都認為這是不可能的。因此，在場的幾位捕快都開始懷疑，來福證供的可信性。

的確，石天的嫌疑由始至終都是源於來福的口供。如果來福由一開始已經說謊，捕快們就可能已經被誤導，將焦點錯放於石天身上。

然而，現在的證供**非常明顯**的告訴大家，極有可能石天根本不是兇手。因為石天正坐在牢獄之中，豈能分身做案？

正當大家都在懷疑來福和一直以來的調查方向時，本來一直在附近踱步若有所思的包大人，忽然停下腳步，用銳利的眼神望向來福，問：

在場眾人無不以質疑的目光投向包大人，來福分明有機會作**假口供**，何故包大人要再次向一個誠信和證供有問題的人發問呢？

「**嗯……當夜我吃飽晚飯之後，就到附近散步，然後，突然就有人在草叢跳出來，從後把我推跌，我抬頭一看，竟發現那人就是石天！他當時脫下口罩，用奇怪的眼神看著我，然後一句說話也沒有說，就用刀刺向我的肚子，雖然刺得不深，但已足夠令我痛得發不了聲！**」

「然後呢？」

「然後，石天就施施然戴回臉罩逃去……」

包大人思忖一會，看一看來福家中的環境後，竟然扯開話題說：「來福，聽附近一帶的人說，你有**過目不忘**的天才，四書五經都琅琅上口，為甚麼你一直不考秀才之類的功名？」

「包大人你有所不知了，我們這種漁民，小時候在大海生活，習慣了自由，怎會習慣當官的那些規矩和**繁文縟節**？況且，我們都樂天知命，當一天和尚敲一天鐘，大富大貴不由人，與其在名利場強求功名利祿，不如躺在吊床上休息休息罷了……」

王朝等人都莫名其妙：為何包大人無故對來福的身世和想法產生興趣，這些東西似乎都與案件**無關宏旨**。

包大人臉上露出**自若的神情**，與在場眾人的懵懂形成強烈對比。

「明白，謝謝你。」包大人拍拍來福的肩，然後回望王朝等一眾人，說：「我想，我已經知道真兇是誰！」

第十一章・荒謬原是真實

衙門上下都齊集在後堂，對於包大人已經知道真相，所有人都**躍躍欲知**，究竟包大人自信背後，藏著的真相是甚麼。

「包大人，你在說甚麼？你知道真兇是誰？」王朝忍不住追問。「石天身在監獄，連同上次與我們一起在天樂樓吃飯，他總共有兩次不在場證據。因此，幾乎可以肯定，行兇者不會是石天，我們一直錯怪了他。」

「朝哥，如果根據你的說法，**真兇**必然是其他人？」張龍說。

「如果不是其他人，又會是誰？」王朝無奈地說。「就算石天有天大的本事，他也不可能越獄犯案吧？」

「你們記得我說過兩個**同時成立**的可能嗎？」包大人說。

「記得，你說石天是兇手，同時也是無辜嘛……」張龍扁著嘴，沒精打彩地說。

「我們根本沒有人知道你在說甚麼，不如包大人你直接一點吧。」

「這次兇徒刺傷來福一事，實在太著跡明顯了。整個行兇過程，就是要讓我們去相信，來福一直都在**編大話**。試想像，假如你是兇徒，你會特地拉開面罩，讓傷者看清楚你的臉，然後才刺傷傷者嗎？你會不為財、不為錢去攻擊一個人嗎？疑犯貿貿然地去做一件高風險的事，**其中必有目的**……」

「是甚麼？」

「我說過，推理，就是要**大膽**。假如兇手的目的就是要誘使來福再次報官，令來福說出匪夷所思的事，藉此令我們懷疑來福，而且推翻之前的證供，為石天洗脫嫌疑，整件事就變得相當合理。」

「這個假設十分大膽，但是，包大人你覺得來福沒有說謊的可能嗎？」

「來福有過目不忘的本領，如果他心術不正，的確有可能會錯走歪路。一個財迷心竅的人，無論有多謹慎，都必然耐不住本性，會買一大堆奢侈品去滿足自己的物慾。假若他第一次報官，真的是連同外人打劫村長，事成後，得到金錢的他理應大花特花。可是，你們沒有細心觀察嗎？來福的家裡甚麼也沒有，可見他的確是甘於淡泊。連桌子和床都是殘舊不堪，這就正好說明了他沒有說謊，來福的確是像其他漁民一樣樂天知命。而且，一個犯完案的人，有了錢，何不遠走高飛？何以要編一個謊言去令自己被懷疑？就憑這幾個疑點，就已經可以證明了來福巴結外人裡應外合打劫村長，然後嫁禍石天是沒可能的。」

「就當來福兩次都沒有說謊，但是石天身在監獄，又怎可能**分身**犯事？」

「你們知道嗎？**一件事荒謬到一個程度，就算發生了都會令人不敢相信。**而這次的所謂分身作案就是如此……」

「包大人，我們還是不明白……」

「不用苦惱，一會兒之後，你們就明白一切。」

「為甚麼？」

「因為兩個時辰之後，我就會升堂審問石天，到時候，一切亦將會水落石出。」

兩個時辰過去，衙門上下都齊集公堂，準備升堂。

「威武……」

升堂的聲音徐徐在公堂響起，而在牢獄通往公堂的走廊中，有兩個緊靠的身影。

「走吧，小天。」押著石天到公堂的趙虎心不在焉地說。

「不用這樣緊張，包大人必會查出真相，到我出獄後，我再請你吃羊肉……」

石天自信地走到公堂，不料，連說都還沒有說完，就被面前的景象驚愕——公堂上竟然有另一個與自己**一模一樣**的人！

是另一個石天！

石天看到這裡，竟然整個人呆掉！

突然，包大人馬上用力大拍驚堂木，聲如洪鐘地一喝：

「犯人石海，你可知罪！」

眾人此時無不驚訝！

石海？被趙虎押著的人，不是石天嗎？何故包大人會突然改口稱他為**石海**？為甚麼公堂上會有兩個石天？而包大人一直掛在口邊的「兩個可能」又是甚麼意思？

究竟，包大人在玩甚麼把戲？

第十二章・水落石出

公堂上，跪著兩個石天，又或者是兩個石海。一個穿著犯人服，一個穿著普通的便服——公堂內的所有人都期待著包大人的說話。

因為，所有人都不知道眼前上映的是怎樣的**一齣戲**。

本來由趙虎押著，穿著犯人服的石天看了身旁和自己一模一樣的人，被嚇了一嚇之後終於回過神來，更居然突然**趾高氣揚**地搶先開口：「恭喜包大人，終於找到真正的犯人，這個人明顯是利用人有相似的盲點，喬裝成我的樣子去犯案，包大人英明！」

在旁的穿著便服的石天只是低頭不語。

包大人**火冒三丈**地說：「石海，你這個犯人果然狡猾！竟然連自己的兄長都出口冤枉？」

兄長？ 那即是說，眼前的兩個**一模一樣**的人，其實是孿生兄弟？也即是說，剛從牢中被押出的人，真實身分其實是石海，石天的弟弟；跪在堂前的那個，才是真正的石天？

「一直以來，你都知道你的哥哥一定會出手救你，所以你才如此鎮定，對不對？」包大人說。「就連事敗，你都以為他會**心甘情願**地替你頂罪嗎？」

穿著犯人服的石海笑著說：「包大人你在說甚麼？怎樣我一點都不明白。」

「是嗎？單是從你告訴趙虎你最愛吃羊肉麵的一剎那，本官就知道你就是**真兇**——因為真正的石天，喜歡的並不是羊肉，而是牛肉麵！」

趙虎聽到這裡，開始有點頭緒。

「**那即是說……**」趙虎指著穿犯人服的石海，說：「這個人，根本不是小天？」

「公孫先生……」包大人呼喚公孫策，公孫策徐徐捧著幾本戶籍簿放到包大人案前。

「本官翻查過戶籍簿，三十年前，開封石氏一門，當年其實是生了兩個兄弟。但是，因為家道中落，你們的父親，石房汝將你們其中一個賣予了外人，而這個**被賣走的人**，就是你，石海！」

「自從你被賣走之後，你一直沒有回到開封，更沒有與自己的親生兄長石天見過面。幾經波折，最後淪落到在街頭過著小混混的生活。後來，幾年前，你終於巧遇離開開封**闖蕩江湖**的兄長石天，石天可憐你生活困苦，於是就暗中接濟你。但是因為覺得父親賣子求生的事，太過丟臉，會影響家聲，於是就沒有將你的存在告訴別人。自此，你就猶如**寄生蟲**般暗中跟著兄長石天生活，利用著哥哥的身分招搖撞騙。也因為這樣，就算石天天樂樓生意多好，他也只能**拮据過活**，因為他一直都在替你還債，對嗎？」

穿著犯人服的石海頭上開始冒出冷汗。

「的而且確，石天在漁火村劫殺案發生當晚有不在場證據——因爲，出手殺人的人，根本不是他，而是你，石海！」

「翌日，救友心切的趙虎，趕回天樂樓想放石天一條生路，可是遇見的，卻是石海你。因此，趙虎一開始跟你說話時，你根本不知道趙虎是在叫你，也不知趙虎是誰！所以當趙虎心急向你**怒吼**時，你才猛然醒過來，同時也知道自己已經事敗，於是便**將計就計**，假裝自己是兄長石天，然後刻意入獄，等待兄長石天用辦法救你，是嗎？」

穿著犯人服的石海啞口無言。

「果然，你的哥哥石天在幾天後，刻意用相同的手法，去漁火村刺傷當日指證你的人，刻意**製造假象**，一方面為你營造不在場證據，一方面令我們質疑來福的口供，希望借此轉移視線，令我們相信『石天』是無辜的。」

「你沒想到，有人會知道你兩個是孿生兄弟的秘密。可是，你太鎮定了，**聰明反被聰明誤**，反而引起了本官的懷疑。而且，你哥哥石天的犯案舉動和動機實在太明顯了，因此……」

「***包大人，人有相似，何奇之有，身邊這個人，我完全不認識，你說來說去都只是推測和片面之詞，根本沒有任何證據，這樣判案不是太武斷了嗎？***」「石天」挑釁說。

包大人沒有急著回應，反而冷靜地從胸中掏出一張畫作，畫作被對摺，上面畫著一些奇怪符號，眾人一眼看出——這和石天在**天樂樓**晚宴當晚掛在胸口的玉佩上的圖案一模一樣！

「畫中的圖案你可能不認得，但這玉佩是沒有可能不認得吧！」說罷包大人從衣襟拿出玉佩。

石天看著玉佩，**忽然一愣**！

同一時間，包大人將對摺的畫作展開，然後將玉佩和畫作拼在一起，想不到的是，圖畫和玉

佩合起來，竟正是一個「**石**」字！

「老一輩的人迷信，相信孿生兄弟的命運是**二合為一**，同體相連，於是多數會打造一塊玉佩，然後將玉佩一分為二，分予兩兄弟，一來方便辨識，二來希望會為一對**孿生兄弟**帶來好運。

我手中所畫的圖案，正是你兄長石天所佩戴的玉佩上的圖案，而這塊玉佩，則是你在漁火村作案時**遺下**的！如今兩者合而為一，拼起來就是一個石字，剛好證明你們就是兄弟！如果你們不是兄弟，這些圖案又怎可能拼得起來？事到如今，

你還想如何狡辯！」

包大人厲聲喝斥！

穿著犯人服的石海沉思後，突然不待包大人說畢，就向著在旁的穿著便服的石天說：「我早說過瞞不過包大人，大哥，你快點說出**真相**！」

然後，石海就一副可憐的樣子對著包大人：「我知

道我們兩兄弟説謊是不對的，但是我也是為了兄弟才……」一個品格最差的人，才會到最後關頭仍嘗試説謊脱險，而石海就正正是這種人。

穿著便服的石天終於開口：「誰説我是你的兄弟？」

説畢，他就扯開自己的面具——原來，這個穿著便服的人，根本不是石天，而是易容偽裝了的**王朝**！

「沒有話好說了吧？包大人早就看穿了你！吩咐我易容扮成你哥哥石天的樣子，設局引你露出破綻！只是想不到，**大禍臨頭**，你竟然還會**推卸責任**，想你的兄長為你圓謊，替你頂罪？你的兄長石天仍然下落不明，我們只是用計一博，想不到你果然露出狐狸尾巴！」

「哦！我明白了，石海利用了孿生的秘密，借用了小天的身分犯事！所以，原來那個所謂既有罪，又是無罪的**『兩個可能』**就是這個意思！」趙虎終於恍然大悟。

「**沒有錯！**石海猜到兄長石天知道自己入獄，必然會出手拯救，於是機智地布局，高調地進牢待審，**將計就計**，巧妙利用兄長的身分入獄，此乃第一個可能；而由於第一晚行兇的人的確不是石天，而是石海，所以本官說石天是無辜，此乃第二個可能！因此，本官所說的兩個可能**同時成立**，就是這個意思！」包大人終於將「兩個可能」的說法清楚解釋。

事情到此，石海終於無法辯白，頹然呆坐地上。

時間：案發當晚
石海
石海
石海在漁火村行兇
石天則在天樂樓招
眾人，及扶趙虎回家
石天
時間：
趙虎趕回天樂樓之際
石海
石海
石海在帳房偷錢，準備逃走事敗
最終還押待審；石天則出遠行
離開了開封。
石天
時間：來福被偷襲當晚
石海正在牢中；石天則
到漁火村攻擊來福，為
弟弟製造不在場證據。
石天
石海

包大人大拍驚堂木，喝曰：「人來，狗頭鍘侍候……」

就在這個時候，公堂傳來響亮的四個字：

「刀下留人！」

第十三章・法外開恩

且慢啊！包大人！

原來，真正的石天滿頭大汗地衝到公堂，並馬上跪下向包大人求情。

「長兄為父，我的弟弟**誤入歧途**，全因我這個兄長管教得不好！就請包大人怪罪於我，對我的弟弟從輕發落！」

誠懇地下跪的石天，眼眶裡已經浸滿淚水。

「我們石家，本來是有名望的大家族，可惜後來**家道中落**，家父在逼不得已

之下，將弟弟賣給了其他人，賺取金錢以維持我們拮据的生活。家父要面子，所以對外人宣稱弟弟死了，不讓外人知道我們為了生活竟然將親生兒子賣予他人。後來，我在街頭重遇弟弟，知道他的生活一直過得落泊，心傷極了。於是便暗中供養弟弟，可惜我**管教無方**，令他誤入歧途，招至今日的惡果。我知道，如果當年父親賣走的是我，小海可能就不會變成今天的樣子，也不會有今天的罪孽……」

「**小天**……」在旁的趙虎看到好友如此，也不禁心痛，但是心裡明白，雖然石天沒有刺死村長，可是為了替弟弟脫罪而刺傷來福，卻是**不爭的事實**，說到底也是犯了罪。

包大人仍然略帶怒意地說。

「草民知罪！家父臨終之前，對賣走弟弟的事一直**耿耿於懷**。他的遺願就是希望我可以有天找回弟弟，補償多年的遺憾……草民自知罪該萬死，但小海的罪過，說到底也是我們石家造成的，還望包大人體諒，將小海**從輕發落**，小人願意分擔罪責，望包大人明鑒……」

聽到這裡，**厚顏無恥**的石海也竟然終於流起淚來。連累了兄弟，而兄弟竟也始終關顧自己，為自己講好說話求情，石海也忍不住慚愧起來。原來，這個十惡不赦的人，心中仍有丁點良知。

看到這裡，包大人心中有所盤算。

「石天，本官也很同情你們家族的遭遇。但是，這也不足以合理化你的所作所為！大是大非當前，你應該**大義滅親**，不要讓你的兄弟一錯再錯才是。如今你二人一同犯罪，也算是惡果自嚐。但是，本官念在你勇於自首，而且只罪及傷人，決定判你入獄十年！」

包大人語氣一轉，怒目投向石海。

「至於石海，你到**危難關頭**，仍不悔改，絕對是不值得饒恕。但念及你兄長的求情，本官法外開恩，判你可免於狗頭之鍘。不過，***死罪可免，活罪難饒***，本官決定判你入獄三十年，希望你在獄中好好反省。人的一生，際遇不免有好有壞，雖然你年紀小小，已被家人賣走，致使流落街頭學壞，**遭遇坎坷**。可是，命運始終掌握於人的手中，若果你有行善之心，一心只走正路，而不是將你的聰明用於歧途，命運絕不會如此。況且，無論上天對你有多不公平，也不代表你可以打劫殺人，若然人人如此，社會豈非大亂？本官知道，一席之話，難以令你馬上參透改過，但獄中三十年的時間，足夠讓你思考反省。」

「**謝大人！謝大人！謝大人**……」石天知道包大人願意輕判，馬上感激流涕。

此案已結，各捕快請馬上將犯人收監，退堂！

包大人一拍驚堂木。

退堂後，趙虎扶著真正的石天，走向牢房，準備開始十年的刑期。

對他們二人來說，灰暗陰冷的走廊，比平日更暗。路程實際很短，走起來，卻比一輩子還要長。的確，世上沒有太多事比目送自己的好友入獄更痛苦。

「虎，對不起……讓你失望了。我……」石天慚愧地說。

趙虎看著好兄弟的樣子，心頭一酸，忍著淚水說：「不……不要緊，做兄弟的，不用說太多。**知錯能改**，也是好事。」

趙虎強作歡笑地說：欠你的**牛肉麵**，待你出獄後，我們再一起吃吧……」

「嗯……」此刻的石天已是淚流滿面。

石天與趙虎作**最後的擁抱**，二人都抱得特別用力。因為，他們都知道，此去一別，下次再擁抱已將不知是甚麼光景。

第十四章・最佳損友

城隍廟外，趙虎一個人在吃牛肉麵，**心不在焉**，仍然為石天入獄感到傷心。

牛肉麵檔內，趙虎看到鄰桌一對年少的朋友正在為加甚麼材料才會令麵變得好吃而爭論。

「加葱花，牛肉的味才會散得出來……」

「你這個白癡，要我說多少遍你才明白，牛肉麵加了葱，葱的味蓋過了湯底，又怎會好食？聽我說吧，加些少蒜，那牛肉才夠香……」

「**我白癡？你才白癡**……」

看著這二人為牛肉麵爭論，趙虎觸景傷情，想起了當日與石天一碗麵兩個人分著吃的回憶。看著他們，趙虎想起了自己和石天年少的樣子。然而，趙虎卻知道，**桃花依舊，人面全非**。石天不在，再沒有人可以跟他分享牛肉麵的回憶。同時，又想起，當日向王朝、馬漢和張龍出手後，友情早已**破裂**。

如今，趙虎已經沒有朋友，是世上**最寂寞**孤獨的人。

正當趙虎神傷之際，突然有**三隻手**拍起他的背後，他回頭一看，竟是王朝、馬漢和張龍。

「你們……」趙虎心中，仍愧於當日為石天出手對抗三人。

「你……你……你甚麼？你不是以為我們還把當日的事放在心頭吧！」王朝笑著說。

「說老實，當然介意了……」馬漢扮作憤慨地說。

「除非……」張龍嘴巴露出奸狡的笑容。

「甚麼？」趙虎緊張地說。

「**你請我們每人吃幾碗牛肉麵賠罪吧！**」三人異口同聲地說。

趙虎知道後，臉上的鬱悶終於**一掃而空**。

朋友，是世上最令人愉快的東西。而友誼，更是世上最不能缺少的東西。對一個情緒低落的人來說，朋友的一句原諒，甚至比世上所有的良藥都有用。

「嗯！好，再加**兩斤酒**又如何？」趙虎終於露出笑顏，因為他深知道只要大家真正能夠瞭解友情的存在，就甚麼都不必再說。好酒難得，好友更難得。

「怕你不成？」王朝笑著說。

「**不醉無歸！**」馬漢說。

「這裡沒有油漆未乾的柱子，虎哥你可以放心喝酒了！」張龍取笑趙虎飲醉後的窘相。

「臭小子！」趙虎拍著張龍的頭大笑說。

良久，酒桌上笑聲不斷，**杯盤狼藉**——四大捕快終於和好如初，友誼的光芒在他們的笑談間閃出，迸發出令人眩目的火花。

牛記

更夫，不是姦夫啊！

更夫，廣東話俗稱「打更佬」，即是古時夜裡敲竹梆子或鑼的人。

打更是古代民間的一種夜間報時制度，由此生出了一種巡夜的職業——更夫，他的工作主要是提醒人們現在是甚麼時候，並叮囑人們小心防火、防盜；就有點像現代的夜更保安呢！

更夫打一晚會敲五次，每隔一個時辰敲一次，等敲第五次時就是五更天，代表快要天亮，這時雞啼了，天也快亮了。

不少古裝電影和電視劇都會看到更夫的蹤影，在周星馳電影《九品芝麻官》裡，打更佬更是其中一個很重要的角色——他除了是更夫，更是姦夫啊，呵呵呵！

掌櫃，錢銀大權在握。

古代對商店店長或店鋪老闆的稱呼。顧名思義，執掌櫃檯的就是「掌櫃」，他們一般也就是負責管理錢櫃的，擁有錢櫃鑰匙和銀両收支大權。不過，掌櫃一詞有時候也會借代作其他意思，比如在清代文人魏源的《聖武記》卷十中，就將在白蓮教起義軍中首領稱為掌櫃：「其老教樊人傑、戴仕傑為掌櫃。」

身分認證靠令牌!

令牌是古代中國官員認證身分和權力的一個工具。古時資訊不發達,百姓可能聽過官員的名字而未見其人,為了方便認證身分,官員就會獲得令牌,當百姓看到令牌,就能確定官員的身分,避免了冒充的機會。

有人說,令牌是起源自虎符。虎符是中國古代皇帝調兵遣將用的兵符,多數用青銅或者黃金做成伏虎形狀,劈為兩半,其中一半交給將帥,另一半由皇帝保存,只有兩個虎符同時合併使用,持符者即獲得調兵遣將權。令牌和虎符一樣,是身分和權力的象徵。而四大捕快的護甲厲害之處,就是將令牌的徵號嵌入護甲之中,一方面象徵榮譽和權力,另一方面也有實際防禦功能,華實並重。如此高貴和厲害的法寶,毋怪每一個捕快都夢寐以求希望得到之。

還押待審,未判先坐牢?

進牢待審意思是在審判前,先將犯人押送往監牢,等待審判。不論是古代還是今時今日,也有這種做法。雖然疑犯未被定罪,但由於有犯罪之嫌,衙門和法庭避免疑犯會在調查期間逃走、破壞調查、甚至殺害證人和再次犯案,所以多數會將犯人送往大牢,一方面確保調查可以順利進行,另一方面也釋除公眾疑慮。

怎樣才算是秀才?

秀才,別稱茂才,本來是指「才之秀者」,即是有才學,見多識廣的人。後來,隋朝推行科舉制度,讓百姓通過考試成為官員,而秀才科是常科考試的一種,成功考取的人,有了功名就會被稱為秀才。成了秀才後,繼續向上考取其他功名就多數可以當官,或者從事其他較好的工作,在地方上也會受到一定的尊重。因此,具有讀書天份的人,多數都會希望成為秀才,像來福一樣甘於淡泊的人並不常見。

今期收錄的成語

成語	釋義	頁數
守望相助	為了對付來犯的敵人或意外的災禍，鄰近各村落互相警戒，互相援助。	p. 7
過目不忘	看過就不忘記。形容記憶力非常強。	p. 8
鐵漢柔情	表示性格豪爽，為人正直，外表粗獷如同鐵般的男人，卻有著細膩如同水一樣的柔弱的情感。一般表示對人溫柔體貼、細膩。	p. 13
衣冠禽獸	穿戴著衣帽的禽獸。指品德極壞，行為像禽獸一樣卑劣的人。	p. 13
躡手躡腳	躡：收斂。指輕手輕腳。	p. 14
神龍見首不見尾	比喻人的行蹤詭秘，剛一露面又不見了。也比喻言辭閃爍，使人捉摸不透。	p. 18
大出洋相	言行失據，違反常識，使人感到滑稽。	p. 22
二話不說	不說任何別的話。指立即行動。	p. 22
大快朵頤	指吃喝方面，形容大飽口福、痛快淋漓地大吃一通、非常快活的享受美食。	p. 23
兄弟情深	形容感情如兄弟般深厚。	p. 24
一窮二白	窮：指物質基礎差；白：指文化和科學落後。比喻基礎差，底子薄。	p. 24
年少輕狂	原是指年輕的人看待事物、處理事情比較輕浮、狂妄，不會深思熟慮；現今泛指青春少年，意氣風發，敢闖敢做敢言敢當。	p. 25

今期收錄的成語

成語	釋義	頁數
一貧如洗	窮得像用水洗過似的，甚麼都沒有。形容十分貧窮。	p. 25
出人頭地	指高人一等。形容德才超眾或成就突出。	p. 25
難言之隱	隱藏在內心深處不便說出口的原因或事情。形容有難言的苦衷。隱：隱情，藏在內心深處的事。	p. 28
爛醉如泥	指醉得癱成一團，扶都扶不住。形容大醉的樣子。	p. 32
不勝酒力	飲酒超過能承擔的界限，無法續飲。	p. 32
和盤托出	指全部顯露或說出。	p. 36
似是而非	似真而實假，或似正確而實錯誤的事。	p. 39
無私顯見私	想掩蓋壞事的真相，結果反而更明顯地暴露出來。	p. 41
人山人海	形容人群如山似海、聚集眾多之意。	p. 45
心如火焚	心中好像火燒一樣。形容焦急萬分。	p. 48
難以啟齒	啟齒：開口。話很難說出口。	p. 49
火冒三丈	冒：往上升。指火勢大，也形容憤怒到極點，怒氣特別大。	p. 52
三英戰呂布	源自三國演義，意思是以一敵三。	p. 59

今期收錄的成語

成語	釋義	頁數
四両撥千斤	意思大概為「巧勁勝蠻力」。	p. 61
斬釘截鐵	形容說話或行動堅決果斷，毫不猶豫。	p. 63
翻箱倒籠	形容到處查找。	p. 63
自投羅網	投：進入；羅網：捕鳥捉魚用的器具。比喻自己進入圈套送死。	p. 65
既往不咎	原指已經做完或做過的事，就不必再責怪了。現指對以往的過錯不再責備。	p. 69
唸唸有詞	形容喃喃自語。	p. 71
盤膝而坐	雙腿交叉彎曲而坐。	p. 77
津津有味	指吃得很有味道或談得很有興趣。	p. 80
四書五經	九本中國古時儒家重要、經典著作。四書指《論語》、《孟子》、《大學》、《中庸》。而五經指《詩經》、《尚書》、《禮記》、《周易》、《春秋》，簡稱為「詩、書、禮、易、春秋」。	p. 87
琅琅上口	琅琅：玉石相擊聲，比喻響亮的讀書聲。指誦讀熟練、順口。也指文辭通俗，便於口誦。	p. 87
繁文縟節	文：規定、儀式；縟：繁多；節：禮節。過分繁瑣的儀式或禮節。也比喻其他繁瑣多餘的事項。	p. 88
當一天和尚敲一天鐘	俗語。過一天算一天，湊合著混日子。比喻遇事敷衍，得過且過。	p. 88

今期收錄的成語

成語	釋義	頁數
功名利祿	功名：功績和名聲，官爵；祿：官吏的俸給。指名利地位。	p. 88
無關宏旨	宏：大；旨：意義，目的。和主要意思沒有關係。指意義不大或關係不大。	p. 88
沒精打彩	形容精神不振，情緒低落。	p. 91
財迷心竅	指由於一心愛財而心中糊塗。	p. 93
甘於淡泊	不追求名利。	p. 93
趾高氣揚	形容驕傲自滿，得意忘形。	p. 98
片面之詞	單方面的意見或說法。	p. 103
大禍臨頭	即將發生大災禍。	p. 108
罪該萬死	形容罪惡極大。	p. 115
厚顏無恥	顏：臉。指人臉皮厚，不知羞恥。	p. 115
十惡不赦	惡貫滿盈、罪無可恕。	p. 115
法外開恩	開恩：赦免，有破例的寬恕的意思。	p. 116
杯盤狼藉	狼藉：像狼窩裡的草那樣散亂。杯子盤子亂七八糟地放著。形容吃喝以後桌面雜亂的樣子。	p. 124

下回預告

漫天雪地之中，突然發生一宗可怕的兇殺案，隨之而來的，竟然是青青姑娘被匪徒擄走的驚天駭聞，四大捕快爲救青青姑娘居然身陷險境——這一切竟由一個絕跡多年的神秘幫會在幕後策劃！

面對突如其來的強大對手，包大人無計可施，唯有請出絕世高手力挽狂瀾，扭轉乾坤！

經已出版！

創造館童書系列

本地實力作家
屬於香港小朋

時間證明一切，口碑銷量俱佳。

畫家聯手原創
友的成長讀物

題材豐富廣泛，總有你的選擇。

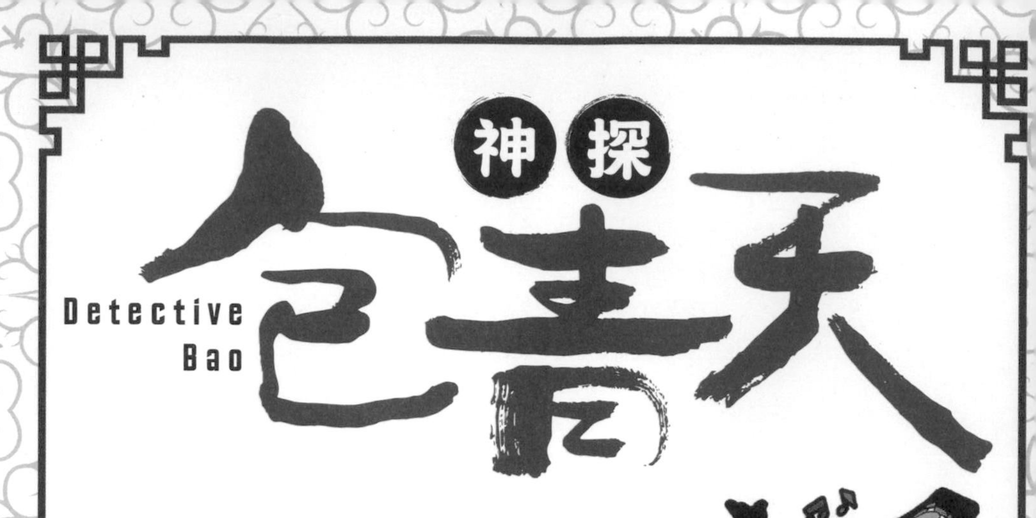

創作 / 繪畫　余遠鍠
故事 / 文字　凌偉駿
創作 / 監製　余 兒
封面設計　faminik
內文設計　siuhung
編輯　小尾
校對　萍
出版　創造館
CREATION CABIN LTD.
地址　荃灣美環街 1-6 號時貿中心 6 樓 4 室
查詢電話　3158 0918
發行　泛華發行代理有限公司
香港新界將軍澳工業邨駿昌街七號二樓
印刷　高科技印刷集團有限公司
出版日期　第一版　2017 年 4 月
第三版　2021 年 8 月
ISBN　978-988-79820-2-9
定價　$68

本故事之所有內容及人物純屬虛構，
如有雷同，實屬巧合。